Les orphelins du ciel

Marie Vaudescal est née en 1977 à Tarbes dans les Hautes-Pyrénées. Enfant, elle passait tous ses week-ends à arpenter les montagnes avec ses parents. À cette époque, elle faisait aussi beaucoup de musique. À 18 ans elle est partie à Toulouse étudier la psychologie. Vers la fin de ses études, en 2002, elle a commencé à écrire pour les enfants.

Du même auteur dans Bayard Poche :
L'île des Géants (J'aime lire)

Frédéric Joos est né en 1953 à Alger. Il a appris le dessin en autodidacte et illustre aujourd'hui des magazines et des livres aux éditions Bayard, Milan, Gallimard et Hachette.

Du même illustrateur dans Bayard Poche :
Journée poubelle pour Gaëlle – La maîtresse est amoureuse – La confiture de leçons – La série *L'Espionne* (J'aime lire)

© 2009, Bayard Éditions
© 2006, magazine *J'aime lire*.
Tous les droits réservés. Reproduction, même partielle, interdite.
Dépôt légal : février 2009
ISBN : 978-2-7470-2775-5
Loi du 16 juillet 1949 sur les publications destinées à la jeunesse

Les orphelins du ciel

Une histoire écrite par Marie Vaudescal
illustrée par Frédéric Joos

J'AIME LIRE
bayard poche

1

Un ballon trop vieux

— Accrochez-vous, lieutenant, cria Gus, on décolle !

Le lieutenant Piébot s'agrippa à la nacelle et le ballon s'envola. Il en avait fait des choses, le lieutenant de police Piébot, mais c'était bien la première fois qu'il se prenait pour un oiseau ! Quelques minutes plus tard, la montgolfière survolait la foire des Lilas. Gus tapa sur l'épaule de son passager et dit :

— Ouvrez les yeux, le spectacle en vaut la peine !

Selon Gus, la petite montgolfière dont il s'occupait avec sa sœur Zélie était la meilleure attraction. Même la grande roue n'allait pas si haut. Hélas, les courageux qui osaient monter à bord n'étaient pas très nombreux. Malgré ses craintes, le lieutenant avait fini par se décider à tenter l'aventure. Après tout, ce n'était qu'un petit vol captif de rien du tout…

Soudain, un crachotement lui fit dresser les oreilles.

– C'était quoi ? demanda le lieutenant, inquiet.

– Heu, quoi ? bredouilla Gus.

– Le *pschit, pschit,* ça venait d'où ?

– Ah, ça… Oh, ce n'est rien…

Gus regarda le brûleur : la flamme baissait. Il le secoua, mais au lieu de repartir, la flamme s'éteignit. Il y eut quelques secondes de silence.

Gus et le lieutenant se regardèrent. Puis Piébot cria :

– On va s'écraser !

Gus tenta de rallumer le brûleur, mais le ballon descendait déjà. Par chance, il parvint à rallumer à temps pour éviter le pire. L'atterrissage s'effectua en catastrophe et ils sortirent du ballon, tout ébouriffés.

Zélie courut vers eux :

— Gus ! Lieutenant ! Rien de cassé ?

Le lieutenant Piébot était très en colère.

— Le brûleur a eu une panne, expliqua Gus.

— Une panne ? répéta Zélie.

— Parfaitement ! intervint Piébot. Ce ballon est tellement vieux qu'on a failli s'écraser.

— Mais…

— Silence ! ordonna le policier. Écoutez-moi bien. Je vous interdis de transporter des gens dans cette vieille guimbarde. Réparez, changez tout s'il le faut, et nous en reparlerons.

— Mais, lieutenant, dit Zélie, cette vieille guimbarde, c'est notre gagne-pain.

— Ça m'est égal ! rugit Piébot en s'éloignant.

2

Montensac

Gus et Zélie se regardèrent, misérables. Cela faisait déjà un an que leur père avait disparu.

Depuis ce temps-là, les deux enfants transportaient des gens dans leur petite montgolfière pour gagner un peu d'argent. Ils avaient assez pour vivre, mais sûrement pas assez pour faire des réparations.

– Qu'allons-nous faire ? demanda Gus.

– Je te l'ai déjà dit, s'agaça Zélie, mais tu ne veux rien savoir. Le marquis de Montensac pourrait nous aider. Si nous lui demandons poliment, je suis sûre qu'il acceptera de nous prêter du matériel pour réparer le ballon.

– Je n'aime pas cet homme ! s'exclama Gus. Il ne m'a jamais inspiré confiance !

– Gus ! s'emporta Zélie. Nous ne sommes plus en position de faire les difficiles. Qu'allons-nous devenir sans ballon ? Nous installer dans la rue comme tondeurs pour chiens ? Sois raisonnable.

Comme Gus et Zélie, le marquis de Montensac faisait partie de la grande famille des pilotes. Il avait bien connu Gaston Feuillade, le père des enfants. Montensac était même le dernier à l'avoir vu vivant. Gaston Feuillade avait disparu lors d'une tempête, alors qu'il tentait d'effectuer la traversée Paris-Turin. Pendant ce vol, le marquis était son unique passager, un privilège qui lui avait été accordé pour le remercier d'avoir participé au financement* du ballon.

* Montensac a donné de l'argent pour la construction du ballon.

Hélas, seul le marquis était revenu vivant. Pour Gus et Zélie, ce souvenir était affreusement douloureux. Sans regarder sa sœur, Gus lâcha :

— C'est d'accord. Allons voir le marquis.

3
Avis de tempête

Le soir même, Gus et Zélie réparèrent comme ils purent leur petite montgolfière. Lorsqu'ils atterrirent dans le parc de la propriété, ils trouvèrent que le château du marquis avait une allure sinistre.

Gus et Zélie passèrent devant un hangar, qui n'était pas là à l'époque où ils venaient avec leur père. Devant l'immense porte d'entrée, Zélie empoigna le marteau et toqua.

Un instant plus tard, Boniface le majordome apparut, visiblement contrarié par cette visite.

— Bonsoir, dit Zélie. Veuillez nous excuser, il est tard, mais nous voudrions voir Monsieur le marquis.

— Monsieur le marquis est extrêmement occupé, répondit Boniface.

— Je vous en prie, insista Zélie, nous sommes venus de Paris spécialement pour le voir.

Boniface les dévisagea, méfiant, puis il se décida :

— Suivez-moi.

Gus et Zélie lui emboîtèrent le pas. Passant devant une fenêtre, ils remarquèrent que le ciel s'assombrissait : l'orage menaçait. Plus loin, Boniface frappa à une porte.

— Moui ? grommela une voix à l'intérieur.

— Les enfants Feuillade sont ici et ils voudraient vous voir, annonça Boniface.

Gus et Zélie entendirent un remue-ménage et ce n'est qu'au bout de quelques secondes que le marquis répondit :

— C'est bon, qu'ils entrent.

– Mes chers enfants ! s'exclama le marquis avec un grand sourire.

– Monsieur de Montensac, dit Zélie en faisant une petite révérence, nous sommes vraiment désolés de vous déranger…

Zélie recula pour échapper à l'énorme chien qui s'approchait d'elle.

– Mordicus ! Au pied ! glapit Montensac. Mais vous ne me dérangez pas du tout ! ajouta-t-il.

Assis à son bureau, le marquis avait les coudes posés sur un gros tas de papiers. Gus trouvait son attitude assez étrange.

Dehors, le vent soufflait et certaines rafales fai-
saient trembler les vitres. Le marquis demanda :

– Que me vaut l'honneur de votre visite ?

– Depuis la disparition de notre père, expliqua Zélie, nous promenons les gens dans notre
montgolfière. Ça nous permet de vivre.

– Pauvres enfants, se lamenta le marquis.

– Tout allait bien, reprit Zélie, jusqu'à ce que le brûleur tombe en panne. C'est que notre ballon se fait vieux ! Nous avons pensé que, en tant que pilote, vous auriez peut-être des pièces à nous prêter.

– C'est possible, fit le marquis. De quoi auriez-vous besoin ?

À cet instant, une bourrasque ouvrit grand les fenêtres. Le marquis se leva et le tas de feuilles sur lequel il était accoudé s'éparpilla sur le bureau.

Gus aperçut sous les feuilles une sorte de livre. Le livre portait sur sa couverture les initiales « G.F. ». G.F. ? Comme… Comme Gaston Feuillade… Le sang de Gus ne fit qu'un tour. G.F., c'étaient les initiales de son père !

– Quel temps ! s'exclama le marquis. Je vais être obligé de demander à Boniface de vous préparer une chambre. Pour le reste, nous verrons demain.

4
La main dans le sac

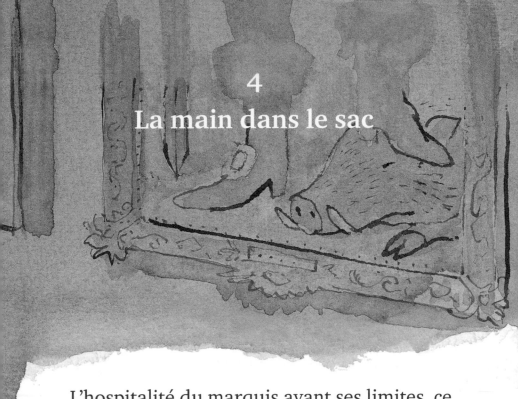

L'hospitalité du marquis ayant ses limites, ce dernier ne proposa pas aux enfants de dîner. Gus et Zélie gagnèrent leur chambre le ventre vide, avec le sentiment de déranger.

Vers une heure du matin, quand l'orage se fut calmé, Gus se faufila le long des couloirs du château. Après en avoir discuté, les enfants avaient décidé qu'il valait mieux que Gus aille seul mettre la main sur le mystérieux livre marqué des lettres « G.F. ».

Gus descendit l'escalier à pas de loup. Il atteignait le bureau du marquis quand, tout à coup, la porte s'ouvrit. Montensac sortait de son bureau, suivi de Mordicus. Gus se tapit dans l'ombre et regarda la lueur de la chandelle s'éloigner...

Une fois le danger passé, il se précipita dans le bureau et fouilla partout. Lorsque, enfin, il trouva le livre, Gus se mit à trembler. Il avait raison : il s'agissait bien du journal de bord de son père !

Gus dissimula le journal dans sa chemise et sortit. Il grimpa de nouveau l'escalier, mais il s'arrêta brusquement. Un grognement venait de le tétaniser.

Dans le noir, les yeux de Mordicus brillaient. Gus tenta de bouger mais l'horrible animal retroussa les babines.

— Tout doux, le toutou, chuchota Gus, blanc de peur.

Au lieu de se calmer, Mordicus se mit à aboyer, ce qui alerta le marquis, qui surgit dans le couloir. Le masque de gentillesse du marquis se brisa :

— Que fais-tu ici, petite vermine ? gronda-t-il de toute sa hauteur.

À cet instant, le ventre vide de Gus gargouilla très fort. Gus bredouilla :

— Je… je cherchais les cuisines… j'ai faim.

— Tu cherchais les cuisines ? Parfait. Je vais te montrer où les trouver.

5
Gus prisonnier

Aidé de Mordicus, le marquis entraîna Gus vers un escalier qui descendait sous terre. En bas, il le poussa dans une espèce de cellule et l'enferma.

– Vraiment désolé, ironisa le marquis, mais je ne supporte pas l'idée qu'un étranger se balade à sa guise dans mon château. Je viendrai te libérer demain. Ta sœur et toi prendrez votre brûleur et vous déguerpirez.

Le marquis suspendit les clés dans le couloir et il s'éloigna. Seul dans ce sinistre cachot, Gus sentit la peur le gagner. Mais, bien vite, de petits bruits lui firent reprendre espoir. Quelqu'un touchait aux clés. Quelqu'un grattait… Oui ! quelqu'un grattait à la porte !

– Qui gratte ? demanda Gus.

– Je ne gratte pas, patate, j'essaie de t'ouvrir !

Le loquet claqua et la porte s'ouvrit.

– Zélie !

– Tu ne te figurais pas que j'allais rester dans la chambre à attendre que tu reviennes ! Tu as trouvé quelque chose ?

– Oui, répondit Gus.

– Et ?

– C'est le journal de Papa !

– Alors, filons avant que les choses se gâtent, lança Zélie.

Les enfants s'échappèrent sans demander leur reste. Dehors, il y avait encore du vent, mais leur petite montgolfière put quand même décoller.

Une fois dans le ciel, Gus et Zélie ouvrirent le journal de leur père. À la lueur d'une lampe tempête, ils découvrirent les notes rédigées par Gaston au cours de son dernier voyage.

« *Premier jour dans les airs. Temps calme. Avan-çons à bonne allure. Notre traversée Paris-Turin sans escale se présente bien.* »

« *Deuxième jour. Avons parcouru une bonne partie de la route. L'espoir est dans mon cœur. Montensac n'arrête pas de se plaindre.* »

« *Troisième jour. Le vent se lève. Arrivons en vue des Alpes. Mes enfants me manquent.* »

Gus sentit sa gorge se serrer.

« *Quatrième jour. Le vent est trop fort.*
Montensac veut descendre. Je le dépose près d'un
village de Savoie. Quant à moi, il n'est pas ques-
tion que je m'arrête. Trop d'années et d'argent
investis dans ce projet. Je dois réussir ! Ce jour-
nal contient des choses importantes. Je le confie
à Montensac pour qu'il le donne à mes enfants. »

— Voilà pourquoi Montensac avait ce journal ! s'exclama Gus. Papa le lui avait donné
pour nous !

— Mais pourquoi l'a-t-il gardé ? demanda
Zélie.

Dans les dernières pages, Gus et Zélie découvrirent quelque chose d'incroyable : leur père avait dessiné le plan d'une sorte de ballon horizontal qu'il appelait « dirigeable ». Il avait même noté toutes les indications pour le fabriquer. En bas du plan, Gaston avait écrit : *« Pour Zélie, pour Gustave et pour l'avenir. »*

– Le voleur ! s'exclama Zélie, ce plan est unique et il est à nous ! Si le marquis construit ce dirigeable, ça lui rapportera beaucoup d'argent…

– Sans compter la gloire qui revient à Papa ! dit Gus. Mettons le cap sur la ville, il faut tout expliquer au lieutenant Piébot !

6

Piébot s'en mêle

Quand le ballon arriva au-dessus du commissariat, le vieux brûleur eut une nouvelle panne. La montgolfière descendit si vite qu'un homme dut se jeter de côté pour ne pas être écrasé. Hélas pour eux, c'était le lieutenant.

– ENCORE VOUS ! rugit-il. Je croyais vous avoir interdit de voler !

– Lieutenant, dit Gus, nous n'avons pas pu faire autrement. On a dû s'évader de chez le marquis de Montensac pour vous avertir. Laissez-nous vous expliquer !

Le lieutenant ouvrit des yeux comme des galettes.

— Amarrez-moi cette guimbarde ! dit-il. J'espère pour vous que l'explication en vaut la peine !

Gus et Zélie lui montrèrent le journal et lui expliquèrent toute l'affaire. Le lieutenant fut difficile à convaincre, car le marquis était un personnage influent. Mais le journal était là, c'était une preuve, et Piébot ne pouvait pas faire comme si de rien n'était.

— Prenons ma voiture, dit-il. Je veux que le marquis me raconte sa version des faits.

Quand Piébot arrêta son automobile devant le château, le marquis sortit la tête du hangar. Il demanda, surpris :

— Lieutenant ? Que faites-vous ici ?

En apercevant Gus et Zélie, la surprise du marquis retomba. Voilà où étaient passés les deux garnements !

— Monsieur le marquis, dit poliment Piébot, ces enfants viennent de me raconter une histoire bien étrange et j'avoue que je ne sais pas trop quoi penser.

— Oh, fit le marquis, j'aurais libéré ce petit fouineur s'il avait su attendre. Nous n'allons pas en faire une histoire !

— Il ne s'agit pas de ça, coupa Piébot.

Le lieutenant lui présenta le journal et le marquis pâlit.

– Reconnaissez-vous ceci ? demanda Piébot. Les enfants disent l'avoir trouvé chez vous. À l'intérieur, leur père a écrit qu'il vous le confiait afin de…

Montensac se cabra.

– Sornettes ! rugit-il. Je n'ai jamais vu ce journal ! Dites-le-lui, Boniface.

– Si Monsieur le dit, marmonna Boniface, c'est que ça doit être vrai.

– Laissez-moi jeter un œil dans votre hangar, proposa Piébot. Ensuite, je vous laisserai en paix.

Le marquis lui barra la route.

– Impossible !

– Monsieur le marquis, soyez raisonnable. Avez-vous, oui ou non…

– Non ! brailla le marquis. Maintenant, laissez-moi !

Tout à coup, Montensac s'engouffra dans le hangar et se barricada.

Piébot tambourina à la porte en criant :

– Ouvrez !

Mais la porte resta fermée. Le policier se rua dessus pour l'enfoncer.

Lorsque la porte céda, Gus et Zélie suivirent Piébot. Ce qu'ils découvrirent à l'intérieur du hangar les laissa sans voix : le dirigeable dessiné par leur père était là, devant eux ! C'était une machine incroyable, avec des tuyaux, des hélices… C'était à vous couper le souffle !

Il n'y avait plus aucun doute, Montensac avait bel et bien volé les plans ! Et, visiblement, il ne comptait pas en rester là : les carcasses de deux autres dirigeables montraient qu'il poursuivait ses travaux.

— Montensac ! appela Piébot, une fois sa surprise passée.

Pour toute réponse, le lieutenant entendit un moteur pétarader. Au fond du hangar, une petite porte était restée ouverte.

— Malédiction ! s'exclama Piébot. Montensac s'enfuit à bord de mon automobile sportive ! Elle peut atteindre les 45 kilomètres à l'heure, nous ne le rattraperons jamais !

— Il nous reste le dirigeable, dit Gus.

7

Course-poursuite

Gus était un excellent pilote. Il tenait ça de son père et, après quelques ruades, la machine décolla.

– Plus vite ! criait Piébot, alors qu'ils prenaient de l'altitude.

En bas, la petite automobile s'enfonçait dans la campagne à une vitesse folle. Gus fit de son mieux pour s'en approcher.

– Descends ! ordonna le lieutenant. Nous allons le perdre !

Gus toucha les commandes et le petit dirigeable piqua vers l'auto. Surpris, le marquis fit un tête-à-queue et s'arrêta en travers de la route. Au même instant, le dirigeable heurta le sol, la porte de la cabine s'ouvrit et Piébot roula à l'extérieur.

– Montensac ! cria-t-il. Je vous arrête !

Mais déjà, Montensac détalait comme un lièvre. C'est alors que Zélie bondit de la cabine pour se lancer à sa poursuite. Elle courait tellement vite qu'elle rattrapa le marquis sans difficulté.

Arrivée à son niveau, elle lâcha sa jupe pour l'empoigner par le col, s'emmêla les pieds et tomba de tout son long sur le marquis, qu'elle écrasa comme une crêpe.

— Bravo, Zélie ! s'écria Gus.

Piébot n'avait jamais vu ça.

— Comment fait-elle pour courir si vite ? demanda-t-il, haletant.

— Quand on était petits, on avait un jeu, expliqua Gus. Dès qu'on apercevait le ballon de Papa en train d'atterrir, c'était à qui courrait le plus vite pour le toucher en premier. Zélie gagnait à chaque fois.

Le lieutenant Piébot menotta le marquis, puis il regarda les enfants d'un air ému.

– Vous n'avez pas eu beaucoup de chance, dit-il. Mais vous êtes courageux et les choses vont changer. Ce dirigeable est à vous ! Ça changera de votre vieille guimbarde. De toute façon, sans les plans de votre père, le marquis n'aurait rien pu faire.

Gus et Zélie accueillirent la nouvelle avec entrain.

Cet après-midi-là, quand ils remontèrent dans l'extraordinaire machine imaginée par leur père, leurs cœurs étaient joyeux et un peu plus légers. Zélie serra le journal contre elle, Gus mit les gaz et, au cœur d'un ciel sans nuages, ils s'envolèrent, plus légers que l'air.

Achevé d'imprimer en janvier 2009 par Pollina S.A.
85400 LUÇON - N° Impression : L48556A
Imprimé en France